R.C.

APPRIVOISER WORD 97

Collection «La troisième vague»

RENÉE RICHARD

APPRIVOISER WORD 97

Les Éditions
LOGIQUES

LOGIQUES est une maison d'édition reconnue par les organismes d'État responsables de la culture et des communications.

Nous remercions le Conseil des Arts du Canada et la Société de développement des entreprises culturelles pour leur appui à notre programme de publication.

Canadä Nous reconnaissons l'aide financière du gouvernement du Canada par l'entremise du Programme d'Aide au Développement de l'Industrie de l'Édition (PADIÉ) pour nos activités d'édition.

Révision linguistique: Liliane Michaud, Chantal Tellier, Cassandre Fournier, Anne-Marie Trudel
Mise en pages: Édiscript enr.
Graphisme de la couverture: Christian Campana
Photo de la couverture: Alain Comtois

Distribution au Canada:

Québec-Livres, 2185, autoroute des Laurentides, Laval (Québec) H7S 1Z6
Téléphone: (450) 687-1210, 1 800 251-1210 • Télécopieur: (450) 687-1331

Distribution en France:

Casteilla/Chiron, 10, rue Léon-Foucault, 78184 Saint-Quentin-en-Yveline
Téléphone: (33) 01 30 14 90 30 • Télécopieur: (33) 01 34 60 31 32

Distribution en Belgique:

Diffusion Vander, avenue des Volontaires, 321, B-1150 Bruxelles
Téléphone: (32-2) 762-9804 • Télécopieur: (32-2) 762-0062

Distribution en Suisse:

Diffusion Transat s.a., route des Jeunes, 4 ter, C.P. 1210, 1211 Genève 26
Téléphone: (022) 342-7740 • Télécopieur: (022) 343-4646

Les Éditions LOGIQUES
7, chemin Bates, Outremont (Québec) H2V 1A6
Téléphone: (514) 270-0208 • Télécopieur: (514) 270-3515

Apprivoiser Word 97

© Les Éditions LOGIQUES inc., 1999
Dépôt légal: 3ᵉ trimestre 1999
Bibliothèque nationale du Québec
Bibliothèque nationale du Canada

ISBN: 2-89381-643-6
LX-747

SOMMAIRE

Première partie
PREMIERS PAS DANS WORD

Deuxième partie
EXPLORATION DE QUELQUES AUTRES
POSSIBILITÉS DE WORD 97

INTRODUCTION

Présentation du logiciel Word 97

Un logiciel de traitement de texte, comme son nom le dit, traite le texte, c'est-à-dire que les différentes fonctions du logiciel servent, à partir de la présentation du texte à l'écran, à en modifier l'apparence et le contenu.

En fait, c'est l'outil qui remplace la feuille de papier et le crayon. Le logiciel WORD 97 se veut un logiciel de traitement de texte qui vous offre la possibilité de réaliser une multitude de documents. Certaines commandes vous permettent de corriger ou de modifier l'apparence de votre texte.

Avec WORD 97, par exemple, vous produisez un texte en y changeant, à loisir, l'aspect des lettres, ou encore en y insérant de jolies images, une bordure de page, un encadré graphique, etc. Et pour ne nommer que quelques-unes des nombreuses possibilités offertes par ce logiciel, vous pouvez déplacer les paragraphes comme bon vous semble, couper des mots, les placer ailleurs dans le texte, copier une phrase et la mettre dans un autre de vos documents. Il vous est également possible de sauvegarder votre texte, de le récupérer à nouveau, de l'imprimer autant de fois que vous le désirez.

WORD 97 vous offrira des heures de plaisir. Qui sait… peut-être vous permettra-t-il d'écrire vos mémoires et de laisser ce bel héritage à vos petits-enfants?

Présentation du guide d'apprentissage

Ce guide s'adresse à des personnes qui ne connaissent pas le traitement de texte. Les explications que vous trouverez dans ce guide sont brèves. Plusieurs images accompagnent les textes, facilitant ainsi l'apprentissage du logiciel. Dans bien des cas, une seule méthode de réalisation, la plus simple, accompagne chaque fonction de Word. Cependant, pour une même fonction, vous remarquerez que deux méthodes sont parfois décrites. Cela a pour but d'accroître la compréhension et de laisser au lecteur le choix d'adopter la méthode qui lui convient le mieux.

La première partie de ce guide vous présente donc les fonctions de base du logiciel. Quant à la deuxième, elle vous permet d'explorer quelques autres possibilités de ce logiciel performant. Bon apprentissage!

OUVERTURE ET FERMETURE DE MICROSOFT WORD 97 POUR WINDOWS

Bouton gauche → ⬜⬜ ← Bouton droit de la souris
de la souris   ou menu contextuel

Ouverture de Word

Il est possible d'accéder au logiciel de traitement de texte WORD 97 à partir du **Bureau.**

Première méthode

Au bas de votre écran, dans le coin inférieur gauche, vous remarquerez le bouton **Démarrer.** Cliquez sur ce dernier avec le bouton gauche de votre souris. Pointez **Programmes.** Une liste des différents programmes apparaît. Cliquez une fois sur **Microsoft Word** avec le bouton gauche de votre souris.

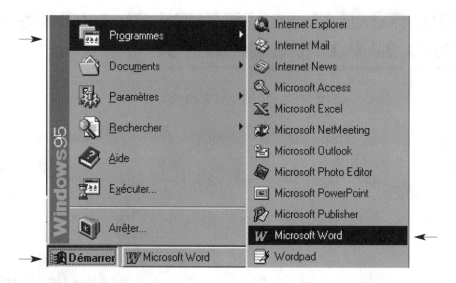

Deuxième méthode

Cliquez une fois sur l'icône **Microsoft Word** dans la barre d'outils du gestionnaire **Microsoft Office** avec le bouton gauche de votre souris. Lorsque vous mettez votre micro-ordinateur sous tension, cette barre, si elle n'est pas masquée, apparaît automatiquement sur le **Bureau.** Elle peut être située en bas, à droite ou en haut de l'écran.

Fermeture de Word

Première méthode

Cliquez sur le bouton **Fermer** dans le coin supérieur droit de l'écran.

Deuxième méthode

Cliquez sur **Fichier** de la barre des menus, puis sur **Quitter.**

Première partie

PREMIERS PAS DANS WORD

EXPLORATION DE L'ÉCRAN WORD

Composantes communes à Windows

Voici la fenêtre du logiciel de traitement de texte Word pour Windows.

1. Barre de titre
2. Barre d'état
3. Barres de défilement
4. Barre des menus
5. Barre d'outils **Standard**
6. Barre d'outils **Mise en forme**
7. Boutons de réduction, de restauration, de fermeture

1. La barre de titre: La barre de titre vous renseigne sur le nom du programme utilisé et du fichier actif (fichier sur lequel vous travaillez).

2. La barre d'état: La barre d'état vous donne certaines indications quant au fichier sur lequel vous travaillez. Entre autres, elle vous indique le numéro de la page, la position du point d'insertion, etc.

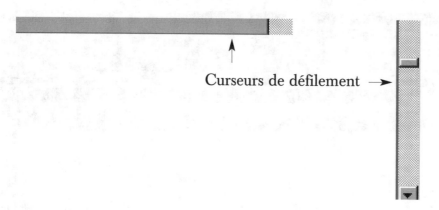

3. Les barres de défilement: Ces barres servent à faire défiler le texte verticalement ou horizontalement.

Curseurs de défilement ⟶

4. La barre des menus: Cette barre contient une liste de neuf menus. Ces options vous permettent de réaliser toutes vos opérations.

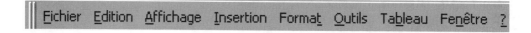

Les barres d'outils (Standard, Mise en forme)

5. La barre d'outils Standard: Cette barre affiche les icônes des nombreuses fonctions.

6. La barre d'outils Mise en forme: Cette barre montre les icônes des fonctions d'édition les plus courantes.

Personnalisation des barres d'outils

Si vous désirez ajouter une icône à une barre d'outils, cliquez sur **Affichage** de la barre des menus, pointez **Barre d'outils,** cliquez sur **Personnaliser.**

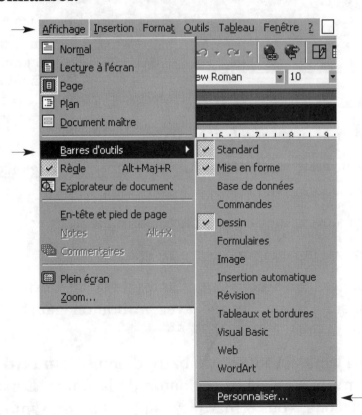

Une boîte de dialogue apparaît. Cliquez sur l'onglet intitulé **Commandes.**

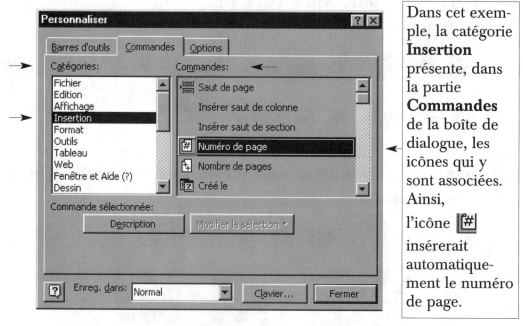

Dans cet exemple, la catégorie **Insertion** présente, dans la partie **Commandes** de la boîte de dialogue, les icônes qui y sont associées. Ainsi, l'icône [#] insérerait automatiquement le numéro de page.

Voyez la section nommée **Catégories.**

Si vous cliquez sur une catégorie, vous remarquez les icônes correspondantes.

Pour ajouter une icône sur vos barres d'outils:

* Cliquez sur la catégorie de votre choix.

* Lorsque les icônes correspondantes de la catégorie s'affichent, cliquez sur l'icône désirée avec le bouton gauche de votre souris et maintenez-le enfoncé.

* Glissez l'icône jusqu'à votre barre d'outils **Standard** ou **Mise en forme** puis relâchez le bouton de la souris. Lorsque vous glissez l'icône, vous remarquez l'apparition du symbole +.

7. Les boutons de réduction, de restauration, de fermeture:

Bouton de réduction   Réduit la fenêtre d'une application ou d'un document sur la barre des tâches.

Bouton de restauration   Rétablit la fenêtre à sa taille et à son emplacement précédents.

Bouton de fermeture   Ferme l'application ou le document.

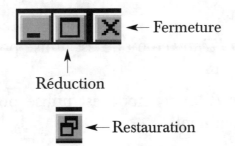

                ← Fermeture

Réduction

← Restauration

Composantes spécifiques à Word

Le pointeur   I   ▶

Le pointeur, c'est une marque laissée par le passage de la souris sur la fenêtre. Selon l'endroit où se trouve le pointeur de la souris dans la fenêtre, il peut prendre la forme d'un I ou d'une flèche.

Le curseur (ou point d'insertion) |

Ces deux mots signifient la même chose. Lors de la saisie du texte, le curseur (ou point d'insertion) indique l'endroit où le texte sera inséré. Dans la zone de texte, le curseur prend la forme d'un trait vertical clignotant.

Les modes d'affichage

- *Le mode affichage Normal:* ce mode, généralement le plus utilisé, sert lors de la saisie, de la mise en forme ou de la modification d'un texte.

- *Le mode Page:* ce mode est conseillé lorsque vous voulez visualiser votre document tel qu'il sera à l'impression. Le mode Page permet de voir les notes de bas de page, les en-têtes, les pieds de page, etc.

- *Le mode Lecture à l'écran:* ce mode est utilisé pour la lecture de documents à l'écran.

- *Le mode affichage Plan:* ce mode est utilisé pour organiser le contenu d'un document.

Première méthode

Vous pouvez passez d'un mode à l'autre en cliquant sur les icônes situées à gauche de la barre de défilement horizontale.

Deuxième méthode

Vous pouvez également choisir votre mode d'affichage en cliquant sur **Affichage** de la barre des menus avec le bouton gauche de la souris, puis sur le mode voulu.

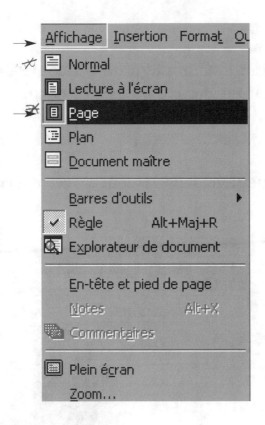

L'accès à l'Aide de Word

Première méthode

Vous pouvez accéder à l'**Aide** de Word en cliquant avec le bouton gauche de la souris sur le point d'interrogation (**?**) situé sur la barre des menus.

Deuxième méthode

Vous pouvez utiliser le **Compagnon Office.** Cliquez sur l'icône correspondante dans la barre d'outils **Standard**:

Saisissez votre question dans la zone à cet effet et cliquez sur **Rechercher.**

La fonction Qu'est-ce que c'est?

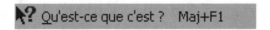

Cette fonction vous donne accès à de l'information sur un élément de la fenêtre ou encore sur une commande. Pour ce faire, cliquez sur le point d'interrogation (?) de la barre des menus avec le bouton gauche de la souris, puis sur **Qu'est-ce que c'est?**

Vous remarquerez un point d'interrogation qui accompagne le pointeur. Cliquez sur un élément ou une commande de la fenêtre et voyez les renseignements donnés par la fonction **Qu'est-ce que c'est?** Par exemple, si vous cliquez sur le G de la barre d'outils **Mise en forme** avec le point d'interrogation, l'information suivante apparaît:

> **Gras (barre d'outils Mise en forme)**
>
> Applique la mise en forme **gras** au texte et aux nombres sélectionnés. Si la sélection est déjà en gras, cliquer sur **G** a pour effet de supprimer cette mise en forme.

Lorsque la fonction **Qu'est-ce que c'est?** n'est plus requise, appuyez sur la touche **Échap (Esc)** du clavier.

CRÉATION, MODIFICATION ET MISE EN FORME D'UN DOCUMENT

Création et modification d'un document

Se préparer à la création d'un document

Avant tout, observez bien votre clavier, plus particulièrement l'emplacement des accents, de l'apostrophe, des guillemets.

Pour écrire un caractère en majuscule, appuyez sur la touche **Maj** ou **SHIFT** du clavier, maintenez cette touche enfoncée et tapez la lettre voulue.

Pour écrire tout un texte en majuscules, enfoncez la touche **Caps Lock** du clavier. Pour désactiver cette fonction, appuyez de nouveau sur la touche **Caps Lock.**

En ce qui concerne les accents grave et circonflexe, tapez d'abord l'accent puis la lettre. Quant à la cédille, tapez la cédille puis le c. En ce qui a trait au tréma, appuyez sur la touche **MAJ,** maintenez-la enfoncée, tapez la touche de la cédille, puis la lettre. L'accent aigu possède sa propre touche sur le clavier.

Pour laisser une ligne blanche entre chaque paragraphe, appuyez à deux reprises sur la touche **Enter** ou **Retour** du clavier.

Afficher une nouvelle fenêtre de document

Première méthode

Pour afficher une nouvelle fenêtre de document, cliquez sur l'icône **Nouveau** de la barre d'outils **Standard,** c'est-à-dire sur la toute première icône.

Deuxième méthode

Cliquez sur **Fichier** de la barre des menus, puis sur **Nouveau.** La boîte de dialogue intitulée **Nouveau** présente l'icône **Document vide.** Cliquez sur **OK.**

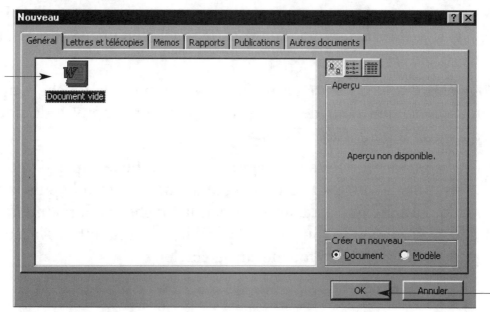

Notes importantes

Lorsque vous tapez votre texte, *ne faites pas de retour à la fin d'une ligne.* Word place automatiquement le texte à la ligne suivante.

Lors de la saisie de votre texte, les mots soulignés en rouge signifient qu'ils ne se trouvent pas dans le dictionnaire de Word ou qu'ils contiennent une erreur.

Si les mots soulignés en rouge sont mal orthographiés, cliquez sur le mot souligné avec le bouton droit de la souris. Le menu contextuel propose des corrections.

À l'impression, le soulignement n'apparaît pas.

Effacer une lettre, un mot

La touche **Delete** du clavier efface le caractère à droite du point d'insertion.

La touche **Backspace** du clavier efface le caractère à gauche du point d'insertion.

Les touches **CTRL+Delete** du clavier effacent le mot à droite du point d'insertion.

Les touches **CTRL+Backspace** du clavier effacent le mot à gauche du point d'insertion.

Note: *Lorsque vous devez activer deux touches, appuyez sur la première touche en la maintenant enfoncée, puis appuyez sur l'autre.*

Effacer ou insérer une ligne vide

Pour effacer une ligne vide, placez le point d'insertion dans l'espace représentant la ligne vide et appuyez sur la touche **Backspace** de votre clavier.

Pour insérer une ligne vide, par exemple entre deux paragraphes, placez le point d'insertion à la fin du paragraphe et appuyez sur la touche **Retour** ou **Enter** de votre clavier.

Sélectionner

Cette fonction est très importante. Elle sert à réaliser maintes opérations.

Sélectionner signifie que vous mettez le texte en évidence ou en surbrillance (le texte sélectionné devient blanc sur un fond noir). La sélection d'un texte permet, entre autres, de le copier, de le déplacer, de le couper, de le coller ailleurs, etc.

Voici un exemple de texte sélectionné:

Bonjour, comment allez-vous ?

Vous pouvez ***sélectionner un mot*** en cliquant deux fois sur ce mot.

Vous pouvez ***sélectionner une phrase*** en appuyant sur la touche **CTRL** du clavier et en cliquant n'importe où dans la phrase à sélectionner.

Vous pouvez ***sélectionner un paragraphe*** en cliquant trois fois dans ce paragraphe.

Vous pouvez ***sélectionner tout un document*** en activant les touches **CTRL+A** du clavier.

Note: *Pour sélectionner un document en entier, il n'est pas nécessaire de placer le pointeur au début du document; vous pouvez le sélectionner à n'importe quelle ligne du document.*

Pour enlever la sélection, cliquez n'importe où dans la fenêtre.

Copier, couper, coller du texte

Copier et coller:

Copier   Coller

Sélectionnez le texte à copier. Cliquez sur l'icône **Copier** de la barre d'outils **Standard.** Positionnez le curseur à l'endroit où vous voulez que le texte copié s'affiche, puis cliquez sur l'icône **Coller** de la barre d'outils **Standard.**

Couper et coller:

Couper   Coller

Pour déplacer un texte et le placer ailleurs dans votre document:

Sélectionnez le texte à déplacer. Cliquez sur l'icône **Couper** de la barre d'outils **Standard.** Positionnez le curseur à l'endroit où vous désirez voir apparaître le texte et cliquez sur l'icône **Coller** de la barre d'outils **Standard.**

Mise en forme de caractères

Mettre en gras, italique, souligné

Pour **mettre en gras**

Cliquez avec le bouton gauche de la souris sur le **G** de la barre d'outils **Mise en forme.**

Pour *mettre en italique*

Cliquez avec le bouton gauche de la souris sur le *I* de la barre d'outils **Mise en forme.**

Pour souligner

Cliquez avec le bouton gauche de la souris sur le S̲ de la barre d'outils **Mise en forme.**

Note: *Si votre texte est déjà saisi et que vous voulez appliquer du gras, de l'italique ou du souligné, il vous faut d'abord sélectionner le texte, puis cliquer sur l'icône appropriée.*

Changer la police de caractères (l'apparence des lettres) et la taille des lettres (la grosseur du caractère)

Pour modifier la police de caractères, procédez ainsi:

À partir de la barre d'outils **Mise en forme,** cliquez avec le bouton gauche de la souris sur la liste déroulante des polices. Le nom d'une police est déjà affiché par défaut. Lorsque la liste est déroulée, vous n'avez qu'à cliquer sur la police de votre choix.

Police par défaut

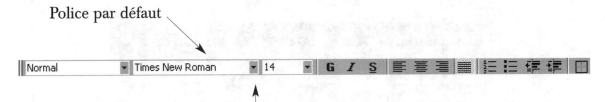

Icône indiquant une liste déroulante de polices

Pour modifier la taille des lettres (la grosseur du caractère), procédez ainsi:

À partir de la barre d'outils **Mise en forme,** cliquez avec le bouton gauche de votre souris sur la liste déroulante de la taille des caractères. Une valeur est déjà affichée par défaut. Lorsque la liste est déroulée, cliquez sur la taille de votre choix.

Valeur par défaut

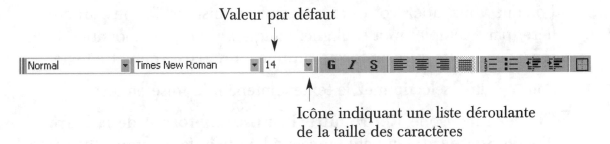

Icône indiquant une liste déroulante
de la taille des caractères

Note: *Si votre texte est déjà saisi, n'oubliez pas de le sélectionner avant d'en changer l'apparence.*

Changer la casse

Cela signifie que vous pouvez convertir en majuscules un texte saisi en minuscules et vice versa.

Pour changer la casse, sélectionnez le texte, cliquez sur **Format** de la barre des menus, puis sur **Changer la casse.** Cochez la case qui vous convient et cliquez sur **OK.**

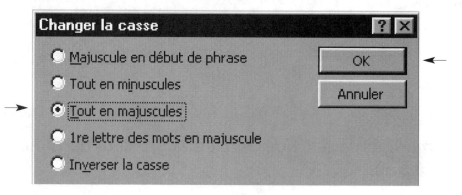

Reproduire la mise en forme

Lorsque vous tapez votre texte dans une mise en forme particulière (par exemple: mot souligné, italique), il vous est possible de reproduire cette mise en forme sur une autre partie de votre texte.

Pour ce faire, sélectionnez le texte contenant la mise en forme.

Cliquez sur l'icône **Reproduire la mise en forme** de la barre d'outils **Standard.** Un petit pinceau identifiant la fonction **Reproduire la mise en forme** apparaît.

Sélectionnez le texte sur lequel vous voulez reproduire la mise en forme. Le petit pinceau suivra tout au long de la sélection. Lorsque vous relâcherez le bouton gauche de votre souris, la mise en forme sera reproduite.

Si vous voulez appliquer la mise en forme à plusieurs endroits, sélectionnez le texte contenant la mise en forme, cliquez **deux fois** sur l'icône **Reproduire la mise en forme.** À l'aide de votre souris, sélectionnez les différents endroits où vous voulez que la mise en forme soit reproduite, puis relâchez le bouton gauche de la souris.

Pour désactiver la fonction **Reproduire la mise en forme,** cliquez à nouveau sur l'icône qui représente cette fonction.

Ajouter une lettrine

Voici un exemple de lettrine:

P^ar exemple

Il est possible de placer cette lettrine dans le texte ou dans la marge ou d'en modifier la hauteur et la distance la séparant du texte.

Pour ce faire, cliquez sur **Format** de la barre des menus puis sur **Lettrine.** Faites vos choix et cliquez sur **OK.**

Note: *Si votre texte est déjà saisi, sélectionnez la lettre sur laquelle vous voulez appliquer une lettrine.*

Mise en forme des paragraphes

Aligner à droite, à gauche, centrer, justifier

Pour aligner un texte à droite

Il suffit de cliquer avec le bouton gauche de votre souris sur l'icône ci-dessus se trouvant sur la barre d'outils **Mise en forme.**

Pour aligner un texte à gauche

Cliquez sur l'icône ci-dessus se trouvant sur la barre d'outils **Mise en forme.**

Pour centrer un texte

Cliquez sur l'icône ci-dessus se trouvant sur la barre d'outils **Mise en forme.**

Pour justifier un texte (c'est-à-dire faire en sorte que le texte soit aligné de façon uniforme entre les marges gauche et droite)

Cliquez sur l'icône ci-dessus se trouvant sur la barre d'outils **Mise en forme.**

Note: *Si votre texte est déjà saisi, n'oubliez pas de le sélectionner avant de procéder à un alignement de texte.*

Modifier l'interligne (l'espace entre les lignes)

Cliquez sur **Format** de la barre des menus, puis sur **Paragraphe.** Une boîte de dialogue apparaît. Choisissez l'onglet **Retrait et espacement.** Une zone intitulée **Interligne** s'affiche.

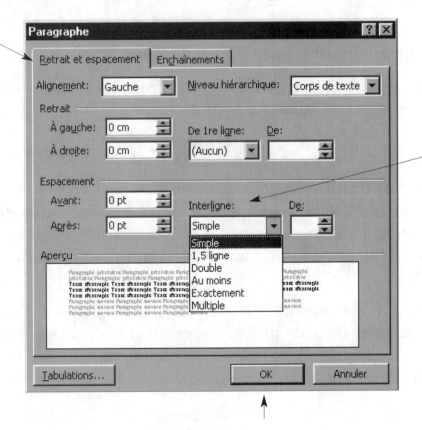

Cliquez sur l'interligne voulu et sur **OK.**

Note: *Si votre texte est déjà saisi, sélectionnez-le avant d'en modifier l'interligne.*

Insérer des puces et des numéros

Une puce est un symbole souvent placé devant les éléments d'une énumération.

Voici des exemples de puces:

•

➢

Pour introduire une puce ou un numéro

Cliquez avec le bouton gauche de la souris sur les icônes suivantes de la barre d'outils **Mise en forme.**

Icône insérant un numéro ⟶ [icônes] ⟵ Icône insérant une puce

Prenez note que si vous utilisez la souris pour insérer une puce ou un numéro, le dernier style que vous aviez sélectionné dans la boîte intitulée **Puces et numéros** s'affiche. Si vous voulez modifier le style de puces ou de numéros, il vous faut utiliser le menu **Format.**

Cliquez sur **Format** de la barre des menus, puis sur **Puces et numéros.** Une boîte de dialogue présentant trois onglets apparaît. Cliquez sur l'onglet **Avec puces** ou **Numéros,** faites votre choix et cliquez sur **OK.**

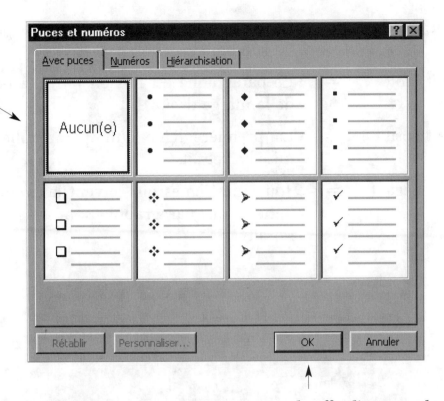

Note: *Pour enlever une puce ou un numéro, il suffit d'appuyer deux fois sur la touche* **Retour** *ou* **Enter** *du clavier.*

Mettre des retraits et des tabulations

Le retrait des paragraphes s'effectue de quatre façons différentes: gauche, droite, positif, négatif.

Pour mettre des paragraphes en retrait (décaler les lignes)

Première méthode

Cliquez sur **Format** de la barre des menus, puis sur **Paragraphe** et ensuite sur **Retrait et espacement.**

Retrait gauche	=	Le paragraphe est mis en retrait à partir de la marge gauche.
Retrait droit	=	Le paragraphe est mis en retrait à partir de la marge droite.
Retrait positif	=	La première ligne d'un paragraphe est mise en retrait.
Retrait négatif	=	Toutes les lignes qui suivent la première ligne d'un paragraphe sont mises en retrait.

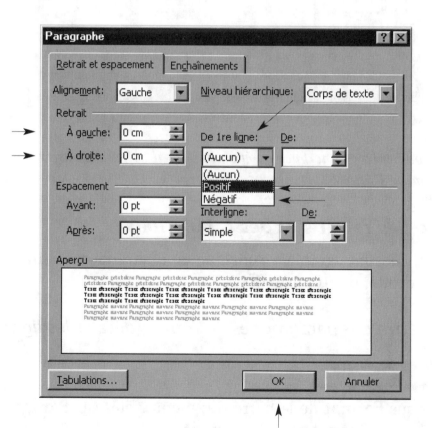

Deuxième méthode

Vous pouvez également mettre des retraits en utilisant les marques de retraits sur la règle horizontale. Vous n'avez qu'à glisser les marques à l'endroit désiré.

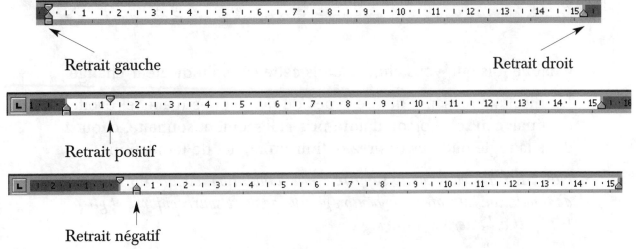

Retrait gauche   Retrait droit

Retrait positif

Retrait négatif

Note: *Lorsqu'un retrait n'est plus nécessaire, cliquez avec le bouton gauche de la souris sur la marque de retrait, gardez le bouton enfoncé et glissez la marque à sa position initiale.*

La tabulation

La tabulation permet d'aligner un texte ou des chiffres à un point donné sur une ligne.

Lorsque vous appuyez sur la touche **Tab** de votre clavier, remarquez que des taquets de tabulation sont placés à des intervalles de 1,25 cm sur la règle horizontale. Vous pouvez modifier leur position comme bon vous semble.

Première méthode

Pour définir une tabulation, il suffit de cliquer à l'extrémité gauche de la règle horizontale de votre écran, dans la case d'indicateur d'alignement.

Chaque fois que vous cliquez dans cette case, l'indicateur change.

L'indicateur présente quatre types de tabulations (gauche, droite, décimal, centré). Lorsqu'il aura pris l'alignement souhaité, cliquez dans la règle où vous désirez définir un taquet de tabulation.

Note: *Lorsque vous voulez supprimer une tabulation, cliquez sur le taquet de tabulation, maintenez le bouton gauche de votre souris enfoncé et glissez le taquet à l'extérieur de la règle.*

Deuxième méthode

Vous pouvez également poser des marques de tabulations en cliquant sur **Format** de la barre des menus, puis sur **Tabulations.** Indiquez la position de votre taquet dans la zone prévue à cet effet, définissez l'alignement souhaité, cliquez sur **Définir** puis sur **OK.**

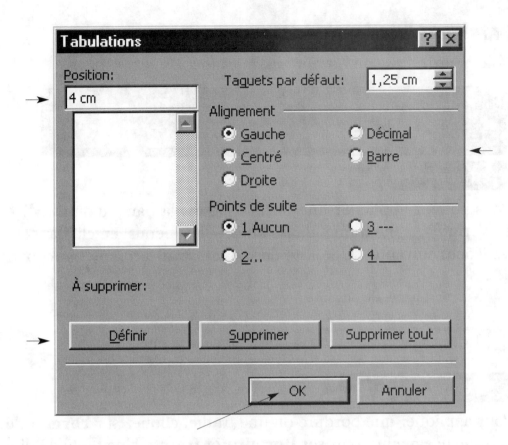

Cette boîte de dialogue permet également de définir les styles de points de suite. Dans une table des matières, les points de suite sont les points qui séparent les titres et sous-titres du numéro de page.

Exemple de points de suite:

L'organigramme..2

Appliquer une bordure et une trame

Voici un exemple de bordure et de trame:

> Bonjour, comment allez-vous?
> Très bien et vous?

Première méthode

Vous pouvez appliquer une bordure (dans la barre d'outils **Mise en forme**) ou une trame (dans la barre des menus) en cliquant sur les icônes suivantes. Une liste déroulante vous présente un choix.

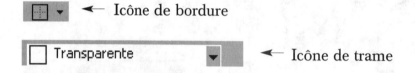

← Icône de bordure

← Icône de trame

Deuxième méthode

Pour appliquer une bordure ou une trame, cliquez sur **Format** de la barre des menus, puis sur **Bordure et trame.** Une boîte de dialogue apparaît et présente trois onglets: **Bordures, Bordure de page** et **Trame de fond.**

Sélectionnez l'onglet voulu, faites votre choix et cliquez sur **OK.**

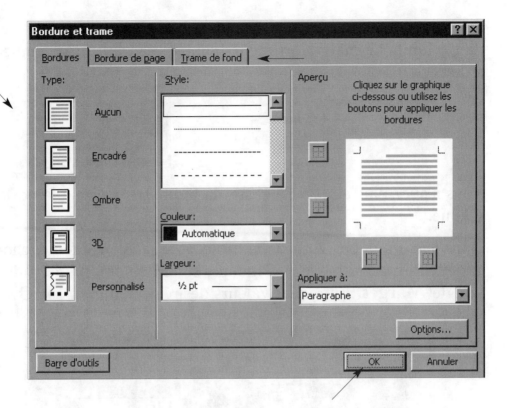

Note: *Si votre texte est déjà saisi, n'oubliez pas de le sélectionner avant d'appliquer une bordure ou une trame.*

Mise en forme de documents

Les marges

Les marges indiquent la distance entre le bord de la page et le texte.

Changer les marges

Vous pouvez modifier les marges de droite, de gauche, celles du haut et du bas de la page en pointant votre curseur sur une limite de marge située sur les règles horizontale et verticale. On reconnaît la limite de marge lorsque le pointeur se transforme en flèche à deux pointes.

Vous n'avez plus alors qu'à glisser la limite de marge à la position voulue.

Dans le cas où vous voulez définir les marges vous-même, cliquez sur **Fichier** de la barre des menus, sur **Mise en page,** puis sur l'onglet **Marges.** Entrez les valeurs désirées et cliquez sur **OK.**

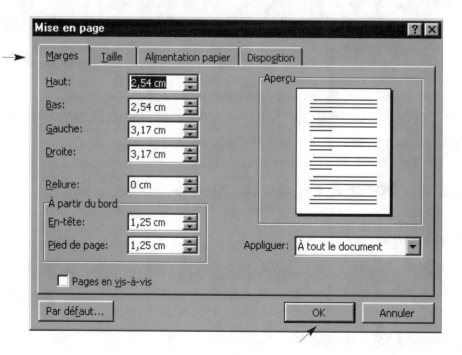

Insérer et supprimer un saut de page manuel

Si vous voulez taper du texte sur une nouvelle page, demandez un saut de page manuel. Pour ce faire, procédez ainsi:

Première méthode

Vous pouvez insérer un saut de page manuel en appuyant sur les touches **CTRL+Enter** ou **CTRL+Retour** du clavier.

Deuxième méthode

Cliquez sur **Insertion** de la barre des menus, sur **Saut,** activez la case **Insérer Saut de page** et cliquez sur **OK.**

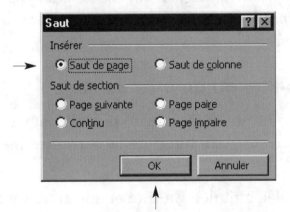

Pour supprimer un saut de page manuel, placez le curseur au début de la nouvelle page et appuyez sur la touche **Backspace** du clavier.

Numéroter les pages

Pour numéroter les pages d'un document, cliquez sur **Insertion** de la barre des menus, puis sur **Numéros de page.** Donnez la position et l'alignement du numéro de page et cliquez sur **OK.**

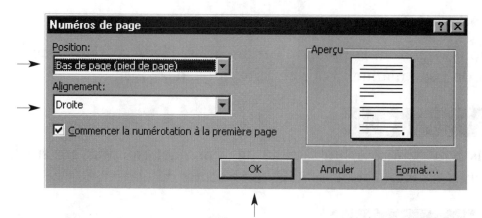

Note: *Si vous ne voulez pas que la numérotation commence à la première page, désactivez la case en cliquant sur la case cochée.*

Si vous voulez supprimer la pagination, cliquez deux fois sur un numéro de page. Sélectionnez le numéro à enlever et appuyez sur la touche Delete ou Suppr du clavier.

Insérer un en-tête ou un pied de page

Vous pouvez insérer un en-tête ou un pied de page dans vos documents en cliquant sur **Affichage** de la barre des menus, puis sur **En-tête et pied de page.**

Une boîte pointillée intitulée **En-tête** et une autre intitulée **En-tête et pied de page** apparaissent.

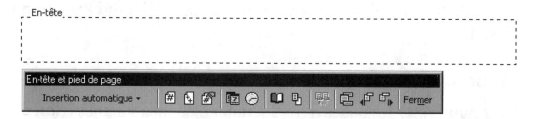

Pour écrire votre en-tête ou votre pied de page, placez votre curseur dans la boîte pointillée. Promenez votre souris sous les icônes de la boîte de dialogue **En-tête et pied de page** pour faire afficher les infos bulles.

Si vous désirez vous servir des choix offerts par les infos bulles, cliquez directement sur les icônes.

La touche **TAB** de votre clavier permet de passer d'une inscription à l'autre dans la boîte pointillée.

Si vous ne désirez pas vous servir des choix offerts par les infos bulles, tapez directement vos données dans la boîte pointillée et cliquez sur le bouton **Fermer** de la boîte de dialogue **En-tête et pied de page.**

Si vous ne voulez pas d'en-tête mais seulement un pied de page, vous devez choisir l'info bulle **Basculer en-tête/pied de page.** La boîte pointillée intitulée **Pied de page** apparaît automatiquement. Indiquez le contenu de votre pied de page et fermez.

Modifier ou supprimer un en-tête ou un pied de page

Pour modifier un en-tête ou un pied de page, il suffit de cliquer à deux reprises sur votre en-tête ou votre pied de page et d'en modifier le contenu.

Pour supprimer un en-tête ou un pied de page, vous devez cliquer à deux reprises sur une donnée de votre en-tête ou de votre pied de page. Sélectionnez tout le contenu de l'en-tête ou du pied de page, appuyez sur la touche **Delete** ou **Suppr** du clavier, puis cliquez sur le bouton **Fermer** de la boîte de dialogue **En-tête et pied de page.**

GESTION DES FICHIERS

Dossiers et fichiers

Un dossier contient un ou des fichiers. Un fichier est l'équivalent d'un document.

Créer un dossier, le renommer, le supprimer

Lorsque vous travaillez dans Word et que vous voulez créer un dossier:

- Sélectionnez **Fichier** de la barre des menus, puis cliquez sur **Enregistrer sous.**

- Précisez, dans la zone **Enregistrer dans,** l'unité dans laquelle vous désirez créer votre dossier. L'unité C représente le disque dur et l'unité A, la disquette.

- Cliquez sur l'icône représentant **Créer un dossier.**

- Une boîte de dialogue intitulée **Nouveau dossier** apparaît. Tapez le nom du dossier dans la zone réservée à cet effet, cliquez sur **OK,** puis sur **Annuler.**

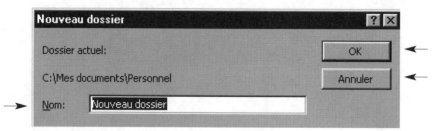

- De retour à votre fenêtre de travail, cliquez sur **Fichier** de la barre des menus, puis sur **Ouvrir.**

- Observez votre nouveau dossier.

Pour renommer ou supprimer un dossier, choisissez **Fichier** de la barre des menus, puis **Ouvrir.** Cliquez sur le nom du dossier à renommer ou à supprimer avec le bouton droit de la souris. Le menu contextuel vous permet d'exécuter l'opération désirée.

Enregistrer un fichier

Pour conserver votre document, il vous faut l'enregistrer. Pour enregistrer un document pour la première fois, ou pour donner un nouveau nom à un document déjà enregistré, cliquez sur **Fichier** de la barre des menus, puis sur **Enregistrer sous.**

Précisez dans la zone **Enregistrer dans** où vous désirez enregis-trer votre document. Après avoir choisi l'unité de sauvegarde, tapez le nom de votre document dans la zone **Nom de fichier.** Lorsque ces informations sont données, cliquez sur **Enregistrer.**

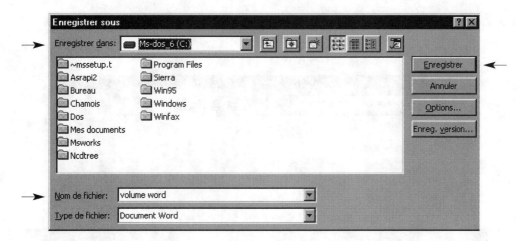

Pour enregistrer le document sur lequel vous travaillez et qui a déjà été enregistré une première fois, cliquez sur l'icône suivante de la barre d'outils **Standard**:

Ouvrir un fichier

Cliquez sur l'icône suivante de la barre d'outils **Standard**:

La boîte de dialogue suivante apparaît.

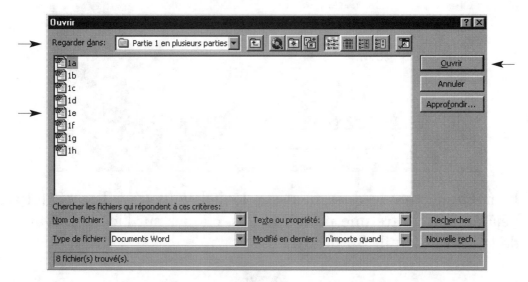

Précisez, s'il y a lieu, l'emplacement de sauvegarde du document dans la zone **Regarder dans.**

Positionnez le curseur sur le document voulu et cliquez deux fois sur ce document avec le bouton gauche de la souris pour ouvrir le document ou cliquez une fois sur le document, puis sur le bouton **Ouvrir.**

Supprimer un fichier

Vous pouvez supprimer un fichier en cliquant sur **Fichier** de la barre des menus, puis sur **Ouvrir.**

Cliquez sur le fichier à détruire avec le bouton droit de votre souris et choisissez **Supprimer.**

Une confirmation de suppression vous est alors demandée. Choisissez **OUI** et fermez.

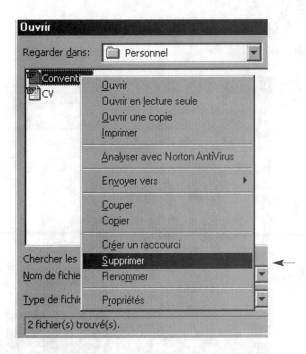

Prenez note que lorsqu'un document est supprimé, il est envoyé dans la **Corbeille.** Vous pouvez le récupérer en cliquant deux fois sur la **Corbeille** de votre **Bureau.** Il suffit alors de cliquer sur le document que vous voulez récupérer avec le bouton droit de la souris et de choisir **Restaurer.** Un document récupéré retourne toujours dans son dossier d'origine.

Renommer un fichier

Pour renommer un fichier, cliquez sur **Fichier** de la barre des menus, puis sur **Ouvrir.**

Cliquez sur le fichier à renommer avec le bouton droit de votre souris et demandez **Renommer le document.**

Renommez votre document. Enregistrez ce nouveau nom, puis fermez le document.

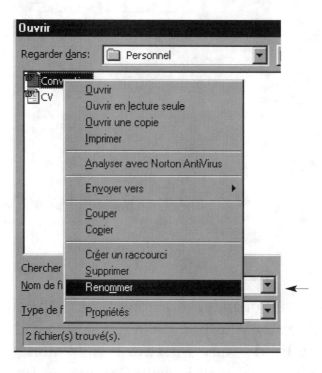

Couper, copier, coller un fichier

Vous pouvez couper, copier, coller un fichier comme bon vous semble.

Pour *couper un fichier* et le placer ailleurs, cliquez sur **Fichier** de la barre des menus, puis sur **Ouvrir.**

Cliquez sur le fichier à couper et, avec le bouton droit de la souris, sélectionnez **Couper.**

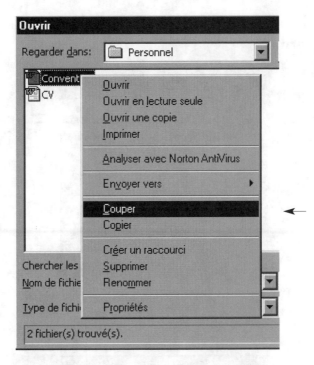

Le fichier est alors mis dans le **Presse-papiers***.

Positionnez le curseur à l'endroit de votre choix et, avec le bouton droit de la souris, choisissez **Coller.**

Pour *copier un fichier*, cliquez sur **Fichier** de la barre des menus, puis sur **Ouvrir.**

---

* Lorsque l'on utilise les fonctions Couper, Copier, Coller, le contenu de ce que l'on a sélectionné est placé dans le presse-papiers. Le presse-papiers est donc une sorte de petit tiroir qui garde les informations confiées pour éviter qu'elles ne se dispersent.

Cliquez sur le fichier à copier et, avec le bouton droit de la souris, choisissez **Copier.**

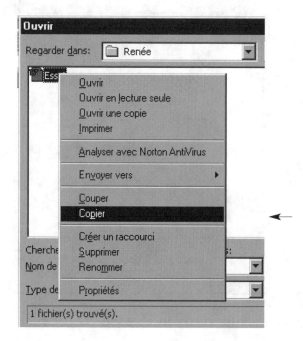

Positionnez le curseur à l'endroit où vous voulez que ce fichier soit copié.

Appuyez sur le bouton droit de la souris et choisissez **Coller.**

Vous pouvez effectuer ces opérations pour des portions de texte, par exemple si vous voulez déplacer des paragraphes. Vous devez d'abord sélectionner le texte à couper ou à copier.

Fermer un fichier

Première méthode

Cliquez sur le bouton **Fermer,** à l'extrémité droite de la barre des menus.

Deuxième méthode

Vous pouvez fermer un fichier en cliquant sur **Fichier** de la barre des menus, puis sur **Fermer.**

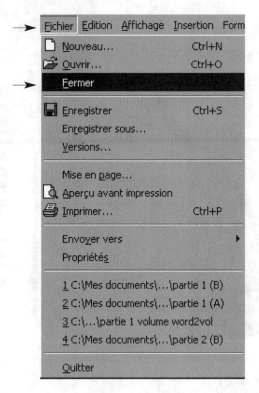

Impression

Prévisualiser le texte

Avant d'imprimer vos textes, il est suggéré de les visionner en format réduit. Cela permet de voir la disposition de votre document et de procéder à des changements s'il y a lieu.

Pour ce faire, cliquez sur l'icône correspondante de la barre d'outils **Standard**:

Pour fermer l'aperçu, cliquez sur le bouton **Fermer.**

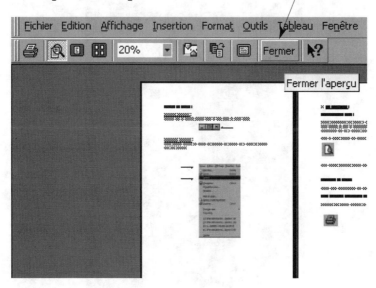

Imprimer un fichier

Avant tout, assurez-vous que votre imprimante est sous tension.

Pour imprimer directement un document, appuyez sur l'icône suivante de la barre d'outils **Standard**:

Pour n'imprimer qu'une page à la fois, plusieurs pages ou un nombre défini, cliquez sur **Fichier** de la barre des menus, puis sur **Imprimer.** Une boîte de dialogue intitulée **Imprimer** apparaît.

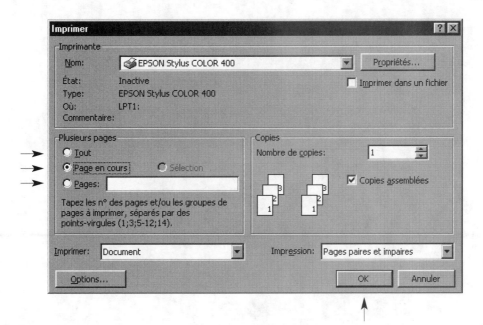

Faites vos choix et cliquez sur **OK.**

Annuler une impression

Lorsque vous demandez l'impression d'un document, remarquez l'icône suivante sur la barre d'état:

Si vous avez malencontreusement demandé une impression et que vous voulez l'annuler, cliquez à deux reprises sur cette icône.

Note: *Si votre document est très court, il se peut que vous n'ayez pas le temps nécessaire pour appuyer sur l'icône ci-dessus et annuler l'impression.*

Deuxième partie

EXPLORATION DE QUELQUES AUTRES POSSIBILITÉS DE WORD 97

Nous en sommes maintenant à la seconde partie du guide. Voyons quelques autres possibilités offertes par le puissant logiciel Word 97.

AUTRES POSSIBILITÉS DE WORD 97

Insertion

Insérer des caractères ou des symboles spéciaux

Pour insérer des caractères ou des symboles spéciaux dans vos textes, cliquez sur **Insertion** de la barre des menus, puis sur **Caractères spéciaux.**

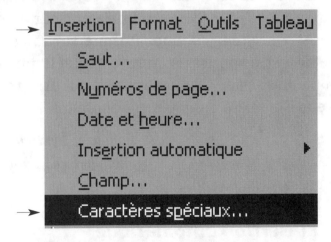

Une boîte de dialogue intitulée **Caractères spéciaux** apparaît.

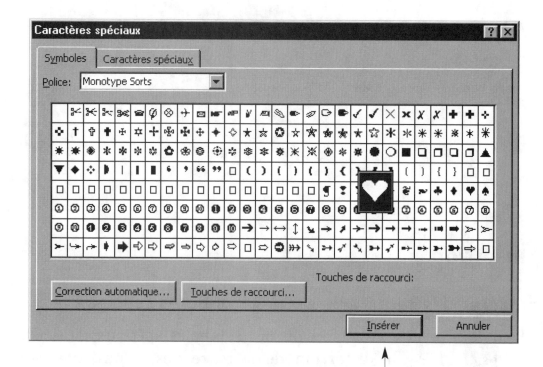

Choisissez l'onglet **Symboles.** Disons que vous voulez insérer un cœur dans votre texte. Placez d'abord votre curseur à l'endroit où vous voulez insérer le cœur. Cliquez ensuite sur le cœur avec le bouton gauche de votre souris. Le cœur est sélectionné comme le montre l'exemple ci-dessus. Cliquez ensuite sur **Insérer**, puis sur **Fermer.** Le cœur est inséré dans votre document.

*Note: Cette boîte de dialogue présente deux onglets: **Symboles** et **Caractères spéciaux**. L'onglet **Symboles** présente un choix de polices. Déroulez la liste et explorez toutes les possibilités.*

Se servir de l'insertion automatique

Certains mots ou certaines phrases peuvent être insérés automatiquement dans votre texte.

Pour ce faire, vous pouvez vous servir de l'insertion automatique en choisissant **Insertion** de la barre des menus, puis **Insertion automatique.** Cliquez sur l'insertion voulue.

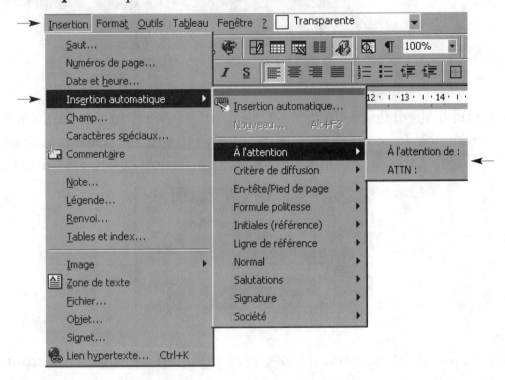

Créer une insertion automatique

Si l'insertion désirée ne se trouve pas dans les choix offerts, vous pouvez la créer.

Supposons que vous voulez créer l'insertion «Allo petit soleil». Sélectionnez le mot ou la phrase représentant l'insertion automatique que vous voulez créer. Appuyez sur **Insertion** de la barre des menus, puis sur **Insertion automatique** et enfin sur **Nouveau.**

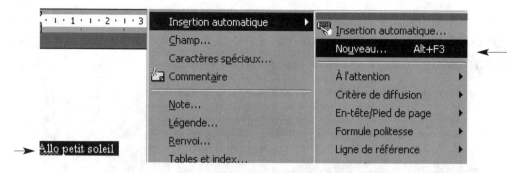

Une boîte de dialogue intitulée **Créer une insertion automatique** apparaît. Si le nom de cette nouvelle insertion vous convient, cliquez sur **OK**; sinon, tapez le nom de l'insertion et cliquez sur **OK.**

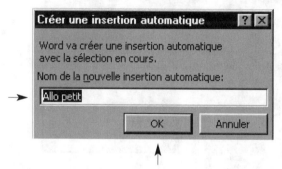

Pour afficher l'insertion, tapez-en les premières lettres. L'insertion s'affiche dans une info bulle. Vous n'avez alors qu'à appuyer sur la touche **Enter** ou **Retour** du clavier pour l'accepter.

Supprimer une insertion automatique

Pour supprimer une insertion automatique, cliquez sur **Insertion** de la barre des menus, pointez **Insertion automatique,** puis cliquez sur **Insertion automatique.** Une boîte de dialogue intitulée **Correction automatique** apparaît.

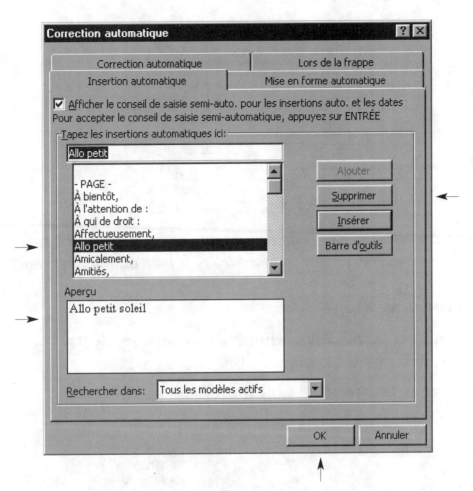

Cliquez sur l'insertion automatique que vous désirez supprimer. Cliquez ensuite sur **Supprimer,** puis sur **OK.**

Insérer la date et l'heure

Pour insérer la date et l'heure, cliquez sur **Insertion** de la barre des menus, puis sur **Date et heure.** Faites votre choix parmi les formats disponibles et cliquez sur **OK.**

Note: *Si vous voulez que la date apparaisse automatiquement lorsque vous ouvrez un document, cochez la case* **Mettre à jour automatiquement.**

Insérer une image

Pour insérer une image, choisissez **Insertion** de la barre des menus, puis pointez **Image.**

Cliquez sur **Images de la bibliothèque.**

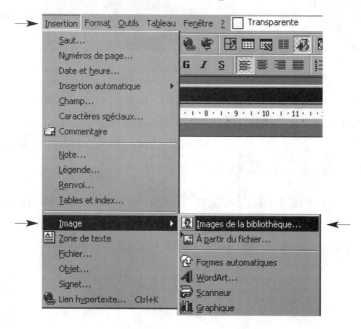

Une nouvelle boîte de dialogue apparaît.

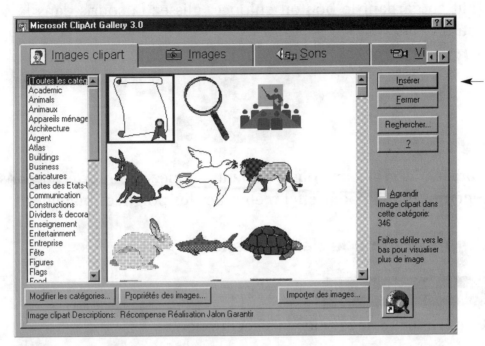

Les différentes catégories d'images sont offertes dans la zone gauche de la boîte de dialogue **Microsoft ClipArt Gallery 3.0.** Déroulez la liste pour prendre connaissance de toutes les catégories possibles. Chaque fois que vous cliquez sur une catégorie, les images correspondantes à cette catégorie apparaissent.

Lorsque votre choix est fait, cliquez directement sur l'image voulue et choisissez **Insérer.** L'image s'insère alors dans votre page.

Modifier la taille de l'image

Pour modifier la taille d'une image, vous devez la sélectionner.

Lorsqu'elle est sélectionnée, une image présente huit «poignées» blanches.

Pointez une poignée et enfoncez le bouton gauche de la souris. Tout en gardant le bouton enfoncé, glissez la souris dans le sens voulu.

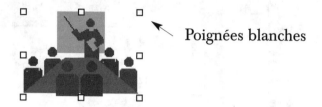

Poignées blanches

Lorsque la grosseur vous convient, cliquez n'importe où dans la fenêtre, ce qui a pour effet d'éliminer les poignées blanches.

Déplacer l'image dans le texte

Première méthode

Cliquez sur l'image pour la sélectionner.

Les poignées blanches réapparaissent. Placez le pointeur de la souris sur l'image.

Remarquez les quatre flèches allant dans toutes les directions.

Lorsque ces quatre flèches sont bien visibles, enfoncez le bouton gauche de votre souris sur l'image et glissez-la vers l'endroit voulu. Relâchez le bouton de votre souris.

Deuxième méthode
(surtout pour un long déplacement)

Vous pouvez déplacer une image en cliquant dessus avec le bouton droit de votre souris. Cliquez sur **Couper.** Positionnez le point d'insertion vers le nouvel emplacement, appuyez sur le bouton droit de votre souris et choisissez **Coller.**

Note: *Pour supprimer une image, cliquez sur celle-ci avec le bouton gauche de la souris et appuyez sur la touche **Delete** de votre clavier. Pour changer d'image, cliquez à deux reprises sur l'image avec le bouton gauche de la souris. La banque d'images réapparaît. Sélectionnez votre nouvelle image, puis cliquez sur **Insérer.***

Tableaux

Voici un exemple de tableau:

colonne ↓

Janvier	Février	Mars
1244.23$	233.43$	2455.66$	← ligne
22.35$	122.87$	3467.89$

cellule*

Insérer un tableau

Choisissez **Tableau** de la barre des menus et cliquez sur **Insérer un tableau.**

Définissez le nombre de colonnes et de lignes voulues. Lorsque vos données sont inscrites, cliquez sur **OK.**

---

* Chacun des rectangles qui compose un tableau est une cellule. Dans la cellule, on inscrit des informations qui peuvent être triées, calculées, fusionnées, fractionnées.

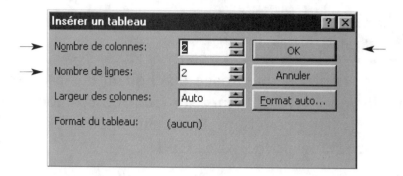

Appliquer un style automatique

Lorsque vous avez défini le nombre de colonnes et de lignes de votre tableau, vous pouvez lui appliquer un style.

Pour ce faire, choisissez **Tableau** de la barre des menus, puis cliquez sur **Format automatique de tableau.** Une boîte de dialogue intitulée **Mise en forme automatique de tableau** apparaît.

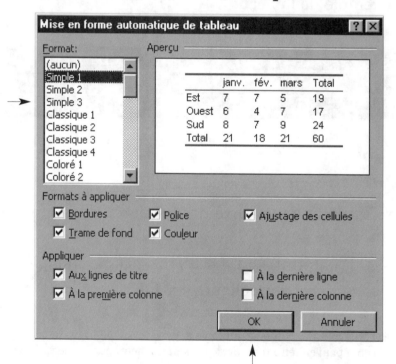

La zone intitulée **Format** présente les différents styles. La zone **Aperçu** permet de visualiser les styles offerts. Sélectionnez votre style préféré et cliquez sur **OK.**

Sélectionner un tableau

Pour sélectionner un tableau, cliquez sur **Tableau** de la barre des menus, puis sur **Sélectionner le tableau.**

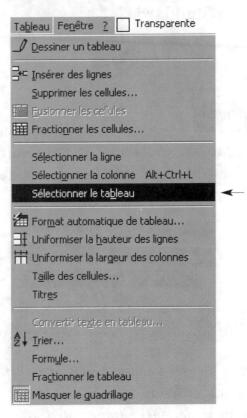

Insérer une ligne ou une colonne dans un tableau

Pour insérer une ligne

Première méthode

À partir de votre tableau, positionnez votre curseur à l'endroit où vous désirez ajouter une ligne et cliquez sur l'icône suivante située sur la barre d'outils **Standard**:

Deuxième méthode

À partir de votre tableau, positionnez votre curseur à l'endroit où vous désirez ajouter une ligne et cliquez sur **Tableau** de la barre des menus, puis sur **Insérez des lignes.**

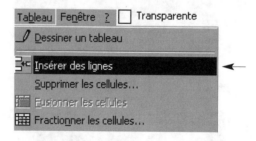

Note: *Si vous désirez ajouter une ligne sous une autre ligne, positionnez le curseur à l'extérieur du cadre du tableau. Le curseur doit être collé sur la ligne. Voyez l'exemple ci-dessous. Cliquez sur l'icône **Insérer des lignes.***

*Si vous désirez ajouter une ligne à la fin du tableau, positionnez le curseur dans la dernière cellule du tableau et appuyez sur la touche **TAB** du clavier.*

Pour insérer une colonne

Première méthode

À partir de votre tableau, sélectionnez la colonne où vous désirez obtenir une insertion. Cliquez sur l'icône suivante située sur la barre d'outils **Standard**:

Deuxième méthode

À partir de votre tableau, sélectionnez la colonne où vous désirez obtenir une insertion. Cliquez sur **Tableau** de la barre des menus, puis sur **Insérer colonnes.** La nouvelle colonne s'insère à gauche de celle que vous avez sélectionnée.

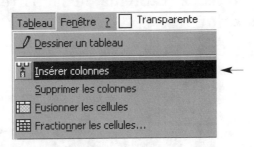

Note: *Si vous désirez insérer une colonne à la fin de votre tableau, positionnez le curseur à l'extérieur du cadre de votre tableau et sélectionnez la fin des lignes. Cliquez ensuite sur l'icône **Insérer colonnes.** Voyez l'exemple ci-dessous:*

Supprimer une ligne ou une colonne dans un tableau

Supprimer une ligne dans un tableau

À partir de votre tableau, sélectionnez la ligne à supprimer et choisissez **Tableau** de la barre des menus, puis **Supprimer les lignes.**

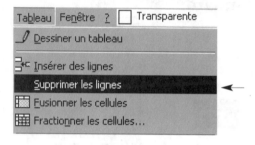

Supprimer une colonne dans un tableau

À partir de votre tableau, sélectionnez la colonne que vous désirez supprimer et choisissez **Tableau** de la barre des menus, puis **Supprimer les colonnes.**

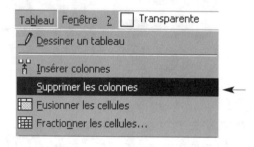

Appliquer une bordure ou une trame dans un tableau

Pour appliquer une bordure ou une trame dans un tableau, cliquez sur l'icône **Tableaux et bordures** située sur la barre d'outils **Standard.**

La barre d'outils **Tableaux et bordures** apparaît.

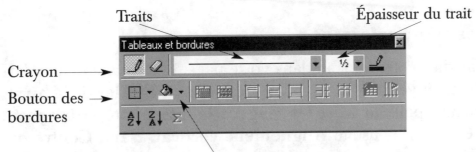

Pour appliquer une bordure, sélectionnez la ou les cellules de votre tableau où vous désirez voir apparaître une bordure.

Sélectionnez le style et l'épaisseur du trait.

Vous pouvez vous servir du crayon pour tracer une bordure. Vous pouvez également cliquer sur la liste déroulante du bouton des bordures.

Pour appliquer une trame, sélectionnez la ou les cellules où vous désirez voir apparaître une trame de fond.

Cliquez sur la liste déroulante du bouton des trames et faites votre choix parmi les couleurs présentées.

Se déplacer dans un tableau

Pour vous déplacer d'une cellule à l'autre, utilisez les touches directionnelles de votre clavier ou cliquez directement sur la cellule où vous voulez aller.

Appuyez sur la touche **TAB** de votre clavier pour aller vers la droite et **MAJ TAB** pour vous diriger vers la gauche.

Note: Après avoir saisi une donnée dans une cellule, ne faites pas de retour, car une ligne blanche s'insérera.

Aligner verticalement

Pour aligner votre tableau dans votre page, il vous faut demander l'alignement vertical. Pour ce faire, cliquez sur **Fichier** de la barre des menus, puis sur **Mise en page.** Choisissez l'onglet **Disposition.** Choisissez ensuite **Alignement vertical, Haut, Centré** ou **Justifié.** Cliquez sur **OK.**

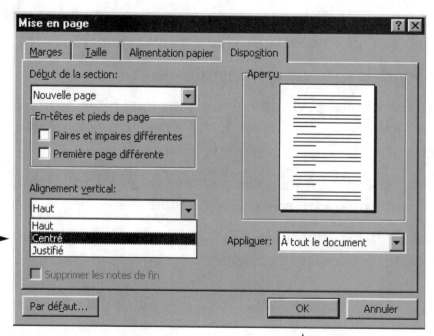

Effectuer la rotation du texte

Vous pouvez effectuer la rotation du texte dans une cellule ou en changer l'alignement. Pour ce faire, cliquez sur l'icône **Tableaux et bordures** de la barre d'outils **Standard.**

La barre d'outils **Tableaux et bordures** apparaît.

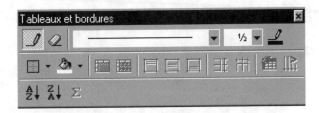

À partir de votre tableau, cliquez dans la cellule à modifier. Cliquez sur l'icône **Changer l'orientation du texte.** Vous pouvez vous servir des icônes correspondant aux différents alignements.

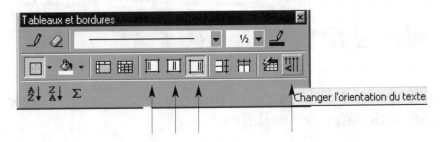

Fusionner ou fractionner les cellules

À partir de votre tableau, lorsque vous désirez que des cellules soient fusionnées, c'est-à-dire qu'elles ne fassent plus qu'une seule et même cellule, sélectionnez les cellules à fusionner et cliquez sur l'icône suivante de la barre d'outils **Standard.**

La barre d'outils **Tableaux et bordures** apparaît.

Cliquez sur l'icône représentant **Fusionner les cellules.**

Voici un exemple de cellules fusionnées:

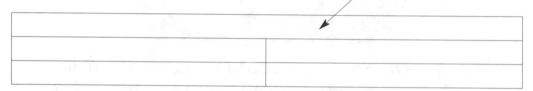

Pour ce faire, sélectionnez la ou les cellules à fractionner*, cliquez sur l'icône correspondante dans la barre d'outils **Standard.**

La barre d'outils **Tableaux et bordures** apparaît. Cliquez sur l'icône **Fractionner les cellules.**

---

* On peut diviser une cellule en un certain nombre de lignes ou de colonnes.

Une boîte de dialogue apparaît.

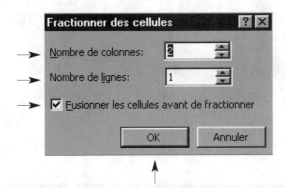

Entrez le nombre de colonnes et de lignes désiré. Si vous ne voulez pas obtenir le même nombre de lignes ou de colonnes pour chaque cellule à fractionner, désactivez la case **Fusionner les cellules.** Cliquez sur **OK.**

Voici l'exemple d'une cellule fractionnée en cinq colonnes:

Appliquer le tri dans un tableau

Pour appliquer le tri dans un tableau, vous devez sélectionner la partie du tableau dans laquelle vous voulez trier des données. Cliquez sur l'icône correspondante dans la barre d'outils **Standard.**

La barre d'outils **Tableaux et bordures** apparaît.

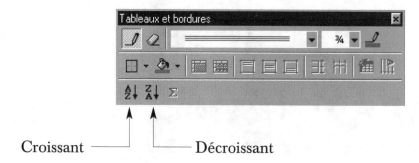

Croissant ——————— ——— Décroissant

Cliquez sur les icônes représentant le tri croissant ou décroissant.

Convertir le texte en tableau et vice versa

À partir de votre tableau, sélectionnez les lignes que vous souhaitez convertir en texte. Sachez que vous pouvez convertir votre tableau en entier si vous le voulez. Il suffit de le sélectionner.

Dans la barre des menus, choisissez **Tableau,** puis **Convertir tableau en texte.**

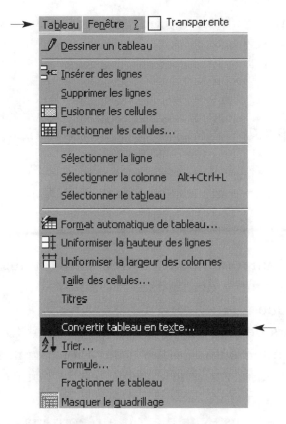

Une nouvelle boîte de dialogue apparaît.

Cliquez sur l'option correspondant au caractère que vous souhaitez utiliser pour séparer le texte, puis cliquez sur **OK.**

Voici un exemple de tableau converti en texte (le «;» a été choisi pour séparer le texte):

Hello; Bonjour

Voici un exemple de texte converti en tableau:

Hello	Bonjour

La fusion

Pour fusionner un document, c'est-à-dire réunir un document principal et une source de données, il faut d'abord créer ces deux éléments. Lorsque nous avons, par exemple, à expédier la même lettre à plusieurs destinataires, la fusion devient très utile car elle réunit automatiquement le contenu de la lettre à la source de données, c'est-à-dire aux renseignements tels le nom du destinataire, l'adresse, etc. La fusion permet donc une bonne économie de temps puisqu'elle nous évite d'avoir à réécrire la lettre à plusieurs reprises.

Créer le document principal

Assurez-vous que votre document principal, c'est-à-dire votre lettre ou votre étiquette, est déjà dans votre fenêtre Word; sinon, ouvrez le document ou tapez-le. Laissez des espaces blancs aux endroits où vous voulez appliquer une fusion (adresse, formule d'appel, etc.).

Choisissez **Outils** de la barre des menus et **Aide au publipostage.**

Choisissez l'étape 1: **Créer votre document principal.**

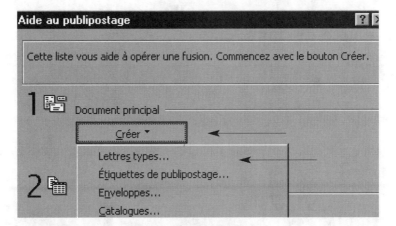

Choisissez **Lettres types** ou **Étiquettes de publipostage.**

Une nouvelle boîte de dialogue apparaît.

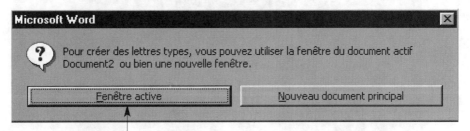

Choisissez **Fenêtre active.**

Créer la source de données

Choisissez l'étape 2, cliquez sur **Obtenir les données,** puis sur **Créer la source de données.**

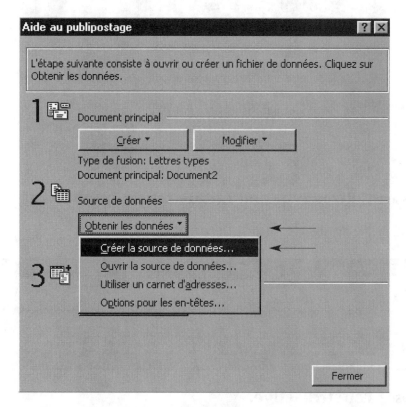

Une boîte de dialogue intitulée **Créer la source de données** apparaît. Dans cette boîte, vous devez préciser les champs voulus.

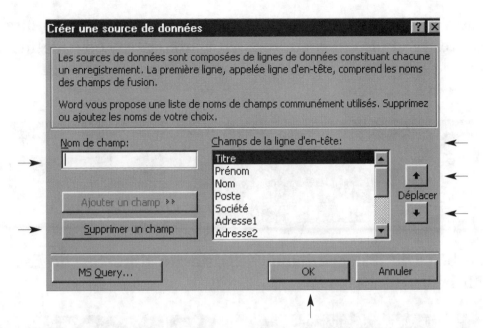

Vous pouvez choisir les champs dans les **Champs de la ligne d'en-tête** ou entrer vos propres noms de champs dans la zone **Nom de champ.**

Pour supprimer un champ dans la zone **Champs de la ligne d'en-tête,** cliquez sur le champ non désiré et sur **Supprimer un champ.**

Note: *Si vous supprimez un champ accidentellement et que vous voulez à nouveau l'inscrire, tapez son nom dans la zone de texte et cliquez sur* ***Ajouter un champ.***

Vous pouvez déplacer l'ordre des champs en utilisant les flèches du bouton **Déplacer.**

Lorsque tous vos champs sont définis, cliquez sur **OK.**

Enregistrez la source de données.

Vous voilà prêt à terminer la source de données, c'est-à-dire à inscrire les noms et les adresses et à insérer les codes de fusion dans le document principal. Pour ce faire, choisissez **Modifier la source de données.**

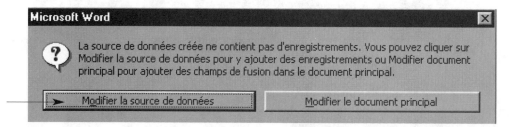

Une boîte de dialogue intitulée **Saisie de données de fusion** s'affiche.

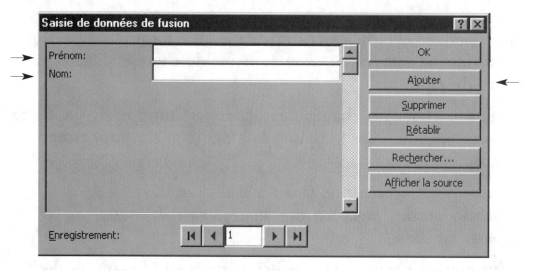

Entrez les données qui complèteront le premier enregistrement.

Pour entrer le deuxième enregistrement, cliquez sur **Ajouter** ou appuyez sur la touche **Enter** ou **Retour** du clavier.

Lorsque tous vos enregistrements sont entrés, cliquez sur **OK.**

De retour à votre document principal, remarquez la barre d'outils **Mise en forme** qui présente maintenant les éléments conduisant à la fusion.

Déplacez le point d'insertion vis-à-vis des espaces laissés pour entrer les champs de fusion. Choisissez **Insérer un champ de fusion.**

Sélectionnez le champ voulu dans la liste déroulante et appuyez sur la touche **Retour** ou **Enter.** Vous pouvez également cliquer directement sur le champ voulu.

Choisissez de nouveau **Insérer un champ de fusion,** choisissez le champ suivant et appuyez sur la touche **Retour** ou **Enter,** et ce, jusqu'à ce que tous vos champs soient entrés.

Enregistrez le document principal.

Fusionner

Vos codes de fusion étant insérés dans votre document principal, vous pouvez fusionner. Choisissez **Outils** de la barre des menus, puis **Aide au publipostage** et cliquez sur **Fusionner** (étape 3).

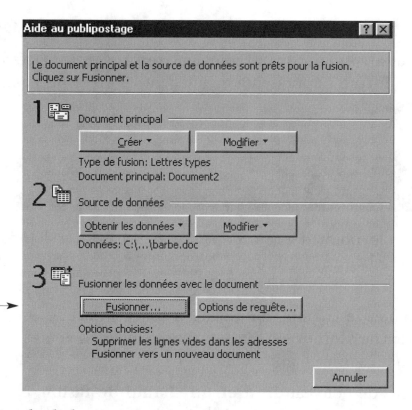

La boîte de dialogue suivante apparaît.

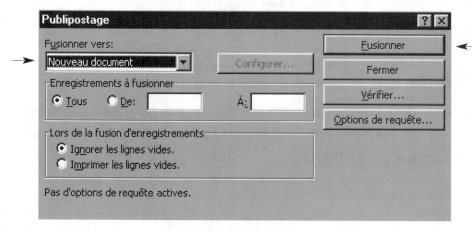

Assurez-vous que vous fusionnez vers un **Nouveau document** et cliquez sur **Fusionner.** Dès lors, les champs de fusion sont remplacés par votre source de données.

Enregistrez la lettre fusionnée, puis fermez les documents ouverts.

Fonctions utiles

Effectuer une recherche et un remplacement

Si vous recherchez un mot fréquemment utilisé dans votre texte et désirez le remplacer automatiquement par un autre mot, utilisez la fonction **Rechercher et remplacer.**

Positionnez le point d'insertion au début de votre texte, cliquez sur **Édition** de la barre des menus, puis sur **Remplacer.** Une boîte de dialogue intitulée **Rechercher et remplacer** apparaît.

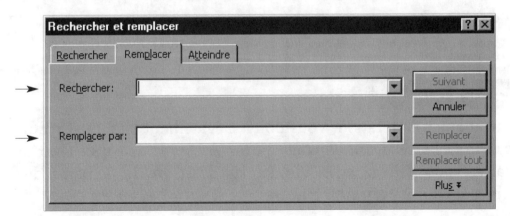

Tapez le mot recherché dans la zone **Rechercher.** Ne faites pas de retour après cette entrée, car la recherche sera lancée.

Tapez le mot à remplacer dans la zone **Remplacer par.** Choisissez **Suivant.**

Le mot que vous avez inscrit dans la zone **Rechercher** est automatiquement sélectionné. Si vous voulez le remplacer, cliquez sur **Remplacer.**

Répétez cette opération jusqu'à la fin de votre texte.

Lorsque la recherche est terminée, cliquez sur **OK.**

Note: *Si vous voulez effectuer un remplacement sans que chaque mot soit confirmé, sélectionnez **Remplacer tout.***

Annuler ou refaire une opération

Première méthode

Pour annuler (flèche vers la gauche) ou refaire (flèche vers la droite) votre dernière opération, cliquez sur les icônes correspondantes situées sur la barre d'outils **Standard.**

Deuxième méthode

Pour annuler l'opération, vous pouvez également cliquer sur **Édition** de la barre des menus et choisir **Annuler frappe.** Pour la refaire, vous pouvez aussi cliquer sur **Édition** de la barre des menus et choisir **Répéter frappe.**

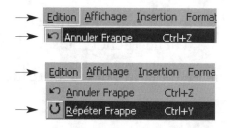

Divers

Adresser des enveloppes et des étiquettes

Pour adresser une enveloppe, cliquez sur **Outils** de la barre des menus, puis sur **Enveloppes et étiquettes.** Choisissez l'onglet **Enveloppes.**

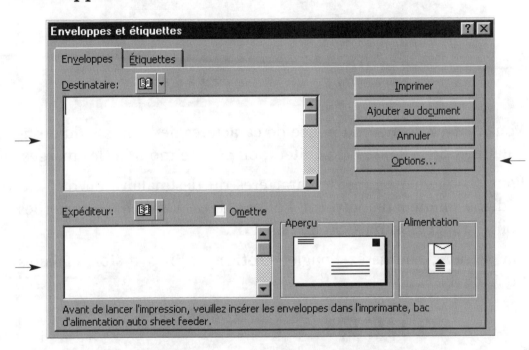

Tapez l'adresse du destinataire ainsi que celle de l'expéditeur dans les zones réservées à cet effet.

Après avoir pris les mesures de votre enveloppe, il vous faut cliquer sur **Options** pour en déterminer les bonnes dimensions.

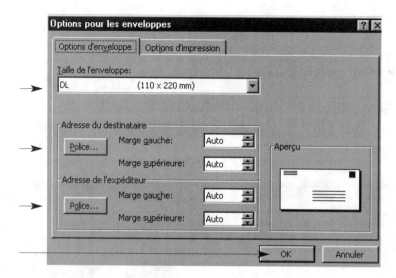

Vous pouvez changer la police de caractères de l'adresse du destinataire et de celle de l'expéditeur, ou encore modifier les marges.

Pour changer la police de caractères du destinataire ou de l'expéditeur, cliquez d'abord sur **Police,** faites votre choix parmi les polices suggérées, puis cliquez sur **OK.**

Par la suite, choisissez l'onglet **Options d'impression** et faites votre choix.

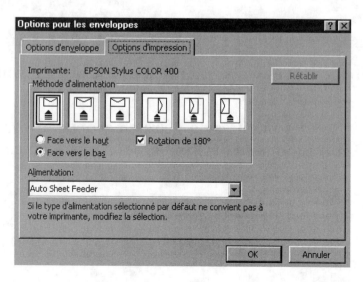

Tous les renseignements étant donnés, insérez votre enveloppe dans l'imprimante, puis cliquez sur **Imprimer.**

En ce qui a trait aux étiquettes, si vous désirez en obtenir des différentes, cliquez sur **Outils** de la barre des menus, puis sur **Enveloppes et étiquettes.** Choisissez l'onglet **Étiquettes.** Définissez le format de vos étiquettes en cliquant sur **Options.**

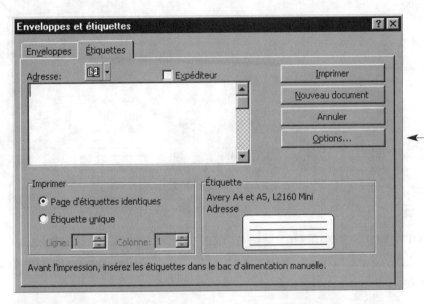

Le format de vos étiquettes étant défini, cliquez sur **Nouveau do-cument** de la boîte de dialogue **Enveloppes et étiquettes.**

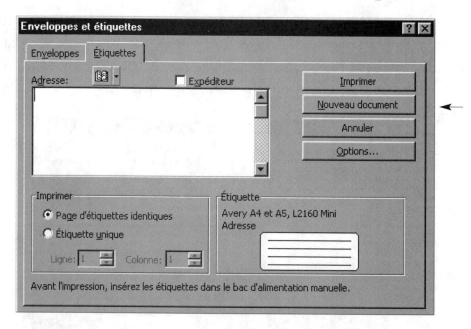

Dès lors, vous voilà dans la page des étiquettes. Entrez vos don-nées. Appuyez sur la touche **TAB** du clavier pour vous déplacer d'une étiquette à une autre.

Utiliser les colonnes journal

Tout comme dans les journaux, Word offre la possibilité de présen-ter le texte sous forme de deux, trois ou plusieurs colonnes.

Première méthode

Cliquez sur l'icône suivante de la barre d'outils **Standard**.

Glissez le pointeur de la souris sur le nombre de colonnes désiré.

Deuxième méthode

Choisissez **Format** de la barre des menus, puis **Colonnes.** Définissez le nombre de colonnes en cliquant sur l'icône désirée. Si vous souhaitez obtenir plus de trois colonnes, indiquez le nombre voulu dans la zone réservée à cet usage. Vous pouvez ajouter une ligne séparatrice entre vos colonnes en activant la case à cet effet.

Vous pouvez modifier la largeur de vos colonnes et l'espacement entre elles en changeant les valeurs dans la zone intitulée **Largeur et espacement.** Lorsque le tout est défini, cliquez sur **OK.**

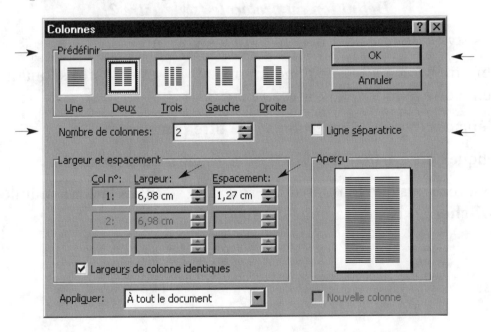

Concevoir une table des matières automatique

La table des matières automatique doit être réalisée après la saisie d'un document, car c'est à partir du texte que Word génère la table des matières.

Donc, dans un premier temps, tapez votre texte en entier.

Après la saisie du texte, placez le point d'insertion où vous désirez placer une table des matières. Tapez les mots TABLE DES MATIÈRES centrés entre les marges.

Une table des matières contient habituellement au moins deux styles de titres.

Voici deux exemples de styles de titres:

Rapport du président (style Titre 1)

Définition du protocole (style Titre 2)

Les styles de titres définissent le niveau de titre.

Un titre principal correspond au niveau 1. Les sous-titres, quant à eux, correspondent aux niveaux 2 à 9.

Déplacez le point d'insertion sur le titre principal.

Cliquez sur **Format** de la barre des menus, puis sur **Style.**

Assurez-vous que tous les styles sont affichés dans la zone intitulée **Afficher** au bas de la boîte de dialogue.

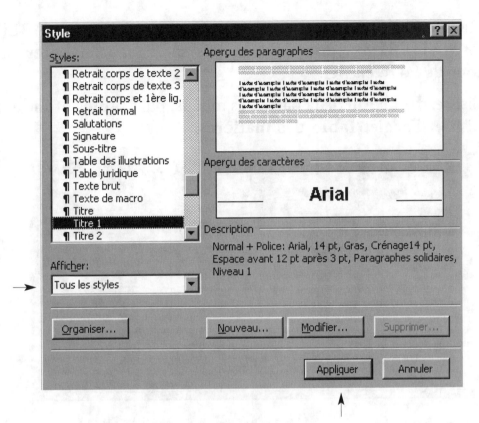

Choisissez **Titre 1**, puis **Appliquer**.

Le style **Titre 1** est maintenant appliqué à votre titre principal.

Si vous voulez appliquer le même style au titre qui suit, choisissez **Édition** de la barre des menus, puis cliquez sur **Répéter style.**

Pour mettre en forme un sous-titre avec le style **Titre 2,** déplacez le point d'insertion sur le premier sous-titre, cliquez sur **Format** de la barre des menus, sur **Style,** sur **Titre 2,** et sur **Appliquer.**

Note: *Si un style non désiré a été choisi, sélectionnez à nouveau le titre et demandez le style voulu.*

Lorsque vous avez défini tous vos styles de titres, vous êtes prêt à définir la table des matières.

Positionnez le curseur où vous avez introduit les mots TABLE DES MATIÈRES. Appuyez deux fois sur la touche **Enter** ou **Retour** de votre clavier.

Choisissez **Insertion** de la barre des menus, puis **Tables et index.** Choisissez l'onglet **Table des matières.**

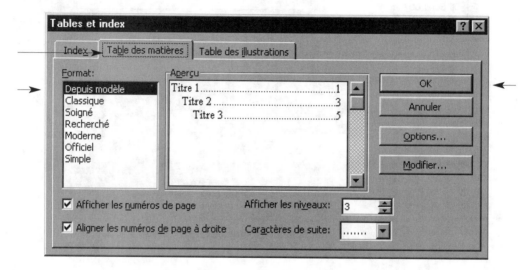

Faites votre choix parmi les formats proposés, puis cliquez sur **OK.**

Votre table des matières se génère automatiquement.

Utiliser WordArt

Pour créer un effet spécial dans votre texte, utilisez WordArt. Si la barre de dessin est affichée au bas de votre écran, cliquez sur l'icône WordArt.

Si la barre de dessin n'apparaît pas dans la fenêtre, cliquez sur **Affichage** de la barre des menus, sur **Barre d'outils** et sur **Dessin.**

Une boîte intitulée **Effets prédéfinis** s'affiche. Faites votre choix en cliquant sur un des trente effets prédéfinis, puis cliquez sur **OK.**

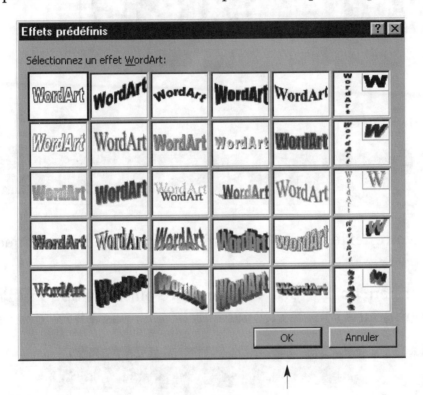

Une nouvelle boîte intitulée **Modifier le texte WordArt** apparaît.

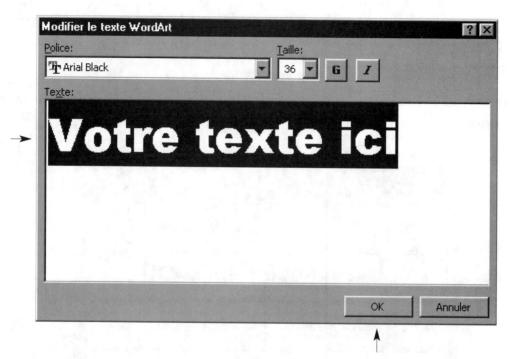

Tapez votre texte dans la zone réservée à cet effet et cliquez sur **OK.**

Une dernière boîte **WordArt** vous offre plusieurs options. Promenez votre souris sous les icônes et n'hésitez pas à faire des essais.

Voici un exemple que l'on peut réaliser:

ANNEXE A
TABLEAU DES RACCOURCIS CLAVIER

Aide	F1
Aligner à droite	CTRL+MAJ+D
Aligner à gauche	CTRL+MAJ+G
Annuler frappe	CTRL+Z
Aperçu avant impression	CTRL+F2
Atteindre	CTRL+B
Centrer	CTRL+E
Changer la casse	MAJ+F3
Coller	CTRL+V
Copier	CTRL+C
Couper	CTRL+X
Enregistrer	CTRL+S
Fermer fichier	CTRL+F4
Fichier nouveau	CTRL+N
Fichier ouvrir	CTRL+O
Fonction Qu'est-ce que c'est ?	MAJ+F1
Gras	CTRL+G
Imprimer	CTRL+P
Interligne 1,5	CTRL+5

Italique ....CTRL+I
Justifié (alignement) ....CTRL+J
Orthographe..F7
Quitter..ALT+F4
Rechercher ....CTRL+F
Remplacer ....CTRL+H
Répéter frappe ....CTRL+Y
Reproduire la mise en forme ....CTRL+MAJ+C
Sélectionner tout...CTRL+A
Souligné ....CTRL+U
Styles...CTRL+MAJ+S
Synonymes ....MAJ+F7
Taille..CTRL+MAJ+E

ANNEXE B
EXERCICES

Exercice 1 (pages 19 à 27)

Répondez aux questions suivantes:

1. À quoi sert la barre des menus?
2. Combien y a-t-il de barres de défilement?
3. Quel bouton utilise-t-on pour fermer une application?
4. Nommez deux icônes présentes sur la barre d'outils Mise en forme.
5. Nommez les formes que prend le pointeur.
6. Quelle différence y a-t-il entre le curseur et le point d'insertion?
7. Quel mode d'affichage permet de voir un en-tête?
8. Que devez-vous faire pour utiliser votre Compagnon d'office?
9. À quoi sert la fonction Qu'est-ce que c'est?

Exercice 2 (pages 29 à 38)

Saisissez le texte qui suit et exécutez ensuite les opérations demandées:

Depuis hier, la pluie ne cesse de tomber. Ici, tout est gris, c'est l'automne. Je suis seule dans la maison. Le feu crépite dans la cheminée. Une douce mélodie résonne dans la pièce. Je me sens triste et j'ai peur de ce qui m'attend.

1. Effacez la première lettre du mot Ici.
2. Effacez le mot pluie.
3. Sélectionnez le mot gris et mettez-le en gras, en italique, en souligné.
4. Mettez le mot triste en gras, en souligné. Reproduisez cette mise en forme sur le mot peur.
5. Appliquez une lettrine sur le D de Depuis.
6. Sélectionnez tout le paragraphe et changez la police de caractères pour la suivante: ARIAL.
7. Modifiez la grosseur des caractères en adoptant 18 points.

Exercice 3 (pages 32 à 48)

Saisissez le texte suivant et exécutez ensuite les opérations demandées:

Le p'tit chat qui venait d'ailleurs

Il était caché derrière une clôture. Des pétales de cosmos roses lui chatouillaient les oreilles. Petite boule de poils blancs, il épiait les passants. Sa fourrure soyeuse et luisante, ses ravissants yeux verts faisaient de lui le plus charmant chaton qui soit.

1. Sélectionnez le paragraphe.
2. Changez les marges pour les suivantes: gauche 4,5 cm – droite 4,5 cm.
3. Modifiez l'interligne à 1,5.
4. Appliquez une bordure 3D au paragraphe et une trame de fond de 15 %.
5. Changez la casse du mot clôture pour une casse en majuscules.
6. Coupez le mot boule et collez-le à la toute fin du paragraphe.
7. Copiez le mot charmant et collez-le au début du paragraphe.

Exercice 4 (pages 38 à 49)

Saisissez ce qui suit et exécutez les consignes demandées:

Ordinateur
Activités
Exercices
Études
Loisir
Souris

1. Alignez à droite le mot Ordinateur.
2. Centrez le mot Études.
3. Insérez un saut de page manuel après le mot Souris.
4. Supprimez le saut de page manuel.
5. Placez un taquet de tabulation à 3 cm et alignez tous les mots sur ce taquet.
6. Supprimez le taquet.

Exercice 5 (pages 50-51)

1. Insérez un en-tête en suivant les consignes suivantes:
   À gauche: le nom du fichier
   Au centre: la date
   À droite: l'heure
2. Modifiez l'en-tête en inscrivant votre nom à la place de la date.
3. Supprimez l'en-tête.

Exercice 6 (pages 49-50)

1. Numérotez vos pages en choisissant la position haut de page, alignement centré.
2. Enlevez la numérotation des pages.

Exercice 7 (pages 53 à 63)

Saisissez le texte suivant et exécutez ensuite les opérations demandées:

Depuis des heures, des jours, des semaines, il errait çà et là dans la grande ville, à la recherche d'un ami. Le pauvre avait quitté sa maison depuis maintenant deux mois. La pluie tambourinait sur les pavés. Les passants, le dos courbé sous leur parapluie, hâtaient le pas, contournant de larges flaques d'eau, l'air complètement absorbé.

1. Prévisualisez le texte à 75 %.
2. Enregistrez le texte sur le disque dur sous le nom: Étranger.doc.
3. Fermez le document.
4. Ouvrez le document.
5. Renommez le document ainsi: Passant.doc.
6. Supprimez le document et allez le restaurer à la Corbeille du Bureau.
7. Imprimez le texte.

Exercice 8 (pages 67 à 75)

1. À partir des caractères spéciaux, insérez un ciseau puis un pique.
2. Créez l'insertion automatique de votre nom et, par la suite, supprimez cette insertion.
3. Insérez la date du jour (année, mois, jour).
4. Insérez une image, modifiez sa dimension et déplacez-la dans la fenêtre.

Exercice 9 (pages 75 à 88)

Reproduisez le tableau suivant:

Janvier	Février	Mars
Roger Aubin	Marcel Aubut	André Gervais
Michel Prud'Homme	Gilles Tremblay	Michel Lauzon
Roger Frappier	Louis Moriset	Gaston Leduc
Jean Béliveau	Arthur Sauvé	Paul Lemay
Guy Rosa	Benoît Landry	Stéphane Richer

1. Choisissez le format automatique de votre choix.
2. Sélectionnez le tableau.
3. Insérez une ligne et une colonne.
4. Supprimez la ligne et la colonne que vous venez d'insérer.
5. Changez l'orientation du texte de la cellule contenant le nom Guy Rosa.
6. Fusionnez les cellules Janvier, Février, Mars.
7. Annulez cette dernière opération.
8. Fractionnez la cellule Janvier en deux colonnes.
9. Remettez l'orientation du texte de la cellule contenant le nom de Guy Rosa à sa position initiale.
10. À partir de la dernière ligne du tableau, convertissez le tableau en texte en séparant chaque élément par un point-virgule.
11. Alignez le tableau verticalement dans la page; demandez un alignement centré.
12. Visualisez le tableau à 50 %.
13. Supprimez le tableau.

Exercice 10 (pages 88 à 95)

Saisissez le document principal suivant:

Joliette, le 31 août 1999

> OBJET: Poste de préposé(e) aux télécommunications

Madame,

Pour faire suite à votre offre de services, nous avons le regret de vous informer que votre candidature n'a pas été retenue. Toutefois, nous conserverons votre curriculum vitae pour une période de six mois et n'hésiterons pas à le consulter si un poste susceptible de vous intéresser venait à se libérer.

Nous vous remercions d'avoir postulé pour ce poste au sein de notre organisme et vous souhaitons la meilleure des chances dans votre recherche d'emploi.

Recevez, Madame, nos plus sincères salutations.

La directrice générale,

Jeanne Poulin

1. Créez la source de données. Chaque enregistrement devra contenir les champs madame, monsieur, prénom, nom, adresse, ville, code postal. Enregistrez les données sous le nom Offre source données.
2. Entrez les enregistrements suivants:

Madame Pauline Duval
54, rue Marcelle
Saint-Sauveur (Québec)
J0R 1T0

Madame Geneviève Loyer
42, terrasse Montreuil
Lanoraie (Québec)
J0K 2N0

Madame France Meilleur
24, avenue Laurier
Laval (Québec)
H4Y 2N9

Madame Johanne Vandette
4, boulevard Manseau
Berthierville (Québec)
J0K 1R0

3. Insérez les codes de fusion dans la lettre type (document principal) et enregistrez le document principal sous Offre document principal.

4. Fusionnez le document principal et la source de données. Enregistrez les quatre lettres sous le nom Offre document fusionné.

Exercice 11 (pages 96-96)

Saisissez le texte suivant:

La plupart des gens qui sont venus semblaient contents. Les gens riaient et faisaient des blagues. Il faut dire que ces gens sont toujours de bonne humeur.

1. Effectuez la recherche du mot gens et remplacez-le par personnes.

2. Effacez le dernier mot du paragraphe.
3. Annulez l'opération.
4. Refaites l'opération.

Exercice 12 (pages 97 à 100)

1. Préparez l'envoi de deux enveloppes aux personnes de votre choix.
2. Faites une page d'étiquettes différentes. Utilisez les noms et adresses de votre choix.

Exercice 13 (pages 100-101)

Reproduisez le texte suivant sur format colonnes journal.

Grosseur de caractères: 22 points.

«Si j'avais le temps, je ferais ceci ou cela, j'apprendrais telle chose…» Puis un jour, il arrive, ce temps. Il vient ce jour où la retraite sonne, instant magique où la personne passe irrémédiablement avant les affaires.

Le projet Internautes Poivre & Sel a été pensé pour les gens de 50 ans et plus, les préretraités et retraités, ceux et celles qui ont maintenant le temps d'exploiter leur temps, de le vivre enfin.

C'est en 1996 qu'Internautes Poivre & Sel voit le jour. Ce projet novateur se veut un programme de formation pour les 50 ans et plus désireux d'apprivoiser le monde de l'informatique, l'univers d'Internet. Enfin, un projet qui offre un passe-temps instructif et interactif, remède à la solitude dont souffrent tant de personnes.

En plus de permettre l'acquisition de connaissances personnelles, ces cours favorisent le maintien de contacts humains.

Exercice 14 (pages 104 à 106)

À partir de WordArt, reproduisez ce qui suit:

Remerciements

Des remerciements sont adressés à Michèle Ouimette, conceptrice d'Internautes Poivre & Sel, pour son aide et ses encouragements.

Merci également à Claude Cournoyer pour sa collaboration, ainsi qu'à Kim Lacelles, Francine Clermont et Jacques Cantin pour leurs judicieux conseils.

Merci à tous les membres de l'équipe des Éditions LOGIQUES. Leur disponibilité, leur patience m'ont grandement aidée à préparer cet ouvrage.

Enfin, c'est aussi grâce au soutien constant de mon conjoint que ce guide a pu voir le jour. À lui, un grand merci.

Imprimé au Canada